MON PREMIER ABC

Illustrations de
Nadine Piette

Editions HEMMA

agneau

aigle

a

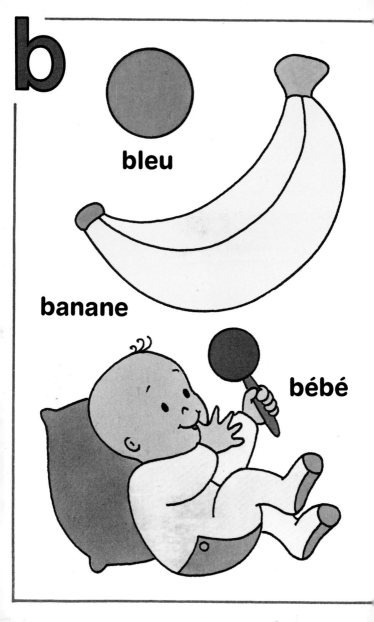

b

bleu

banane

bébé

b

bateau

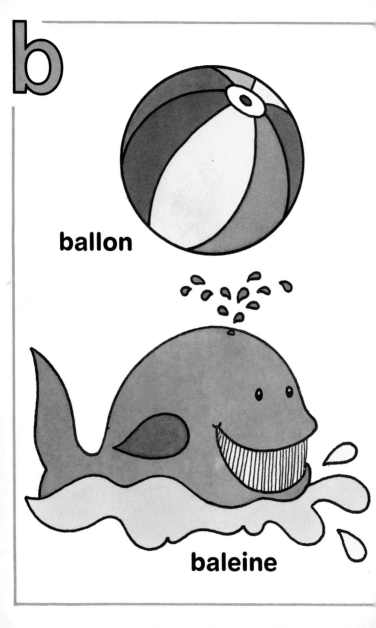

b

ballon

baleine

b

bol

bouteille

bonnet

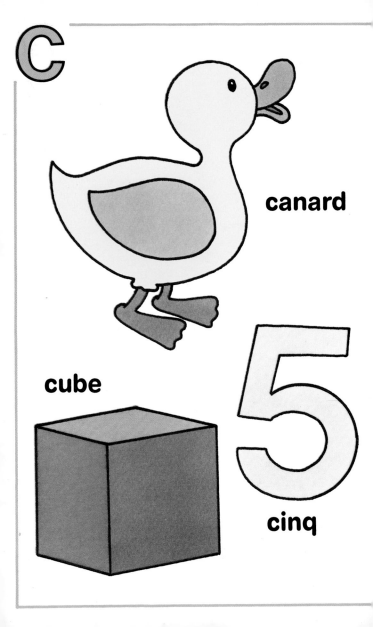

C

canard

cube

5

cinq

C

clown

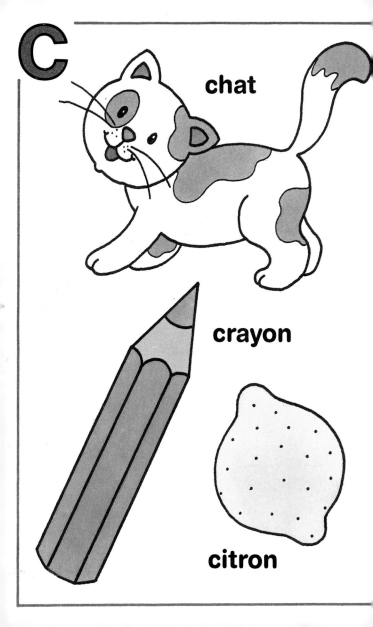

C

chat

crayon

citron

C

carotte

camion

C

chien

chaise

clé

C

champignon

coq

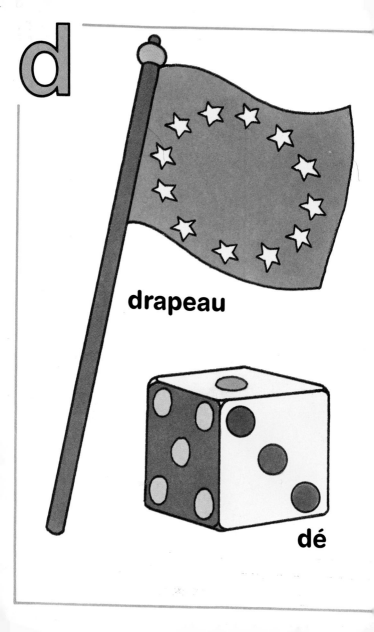

d

drapeau

dé

dauphin

deux

domino

d

éléphant

échelle

e

étoile

escargot

écureuil

f

ferme

fille

flûte

fromage

f

fraise

fleur

g

garçon

gâteau

girafe

g

gomme

g

guitare

grenouille

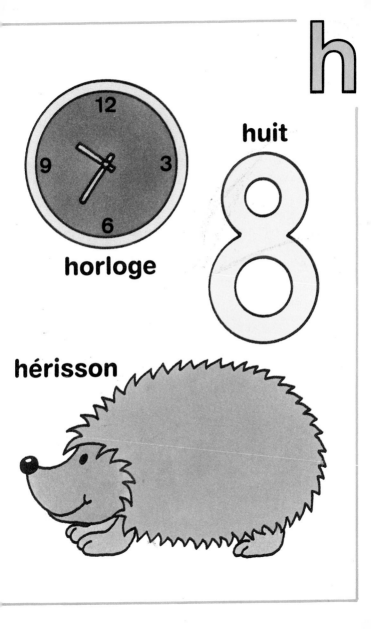

h

huit

horloge

hérisson

h

hibou

haricot

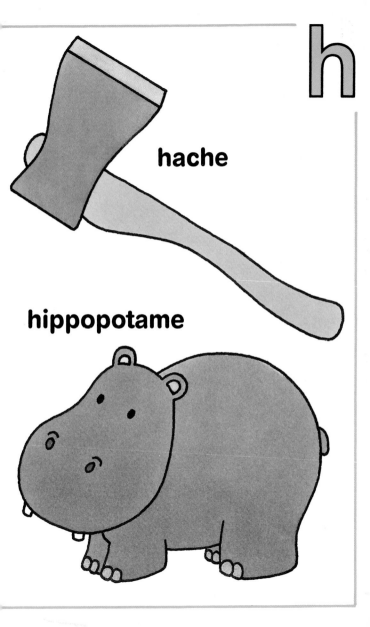

h

hache

hippopotame

igloo

indien

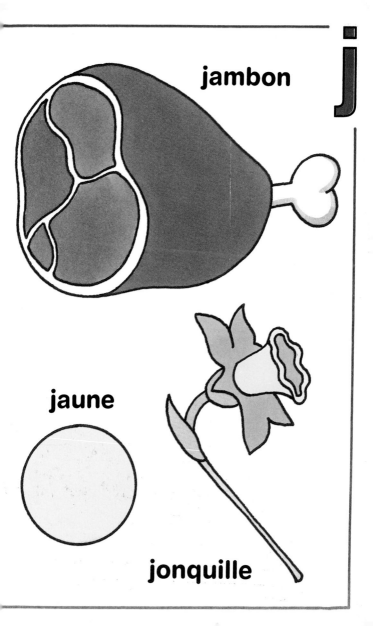

j

jambon

jaune

jonquille

j

jouets

k

koala

kiwi

kangourou

lapin

livre

lune

lime

lit

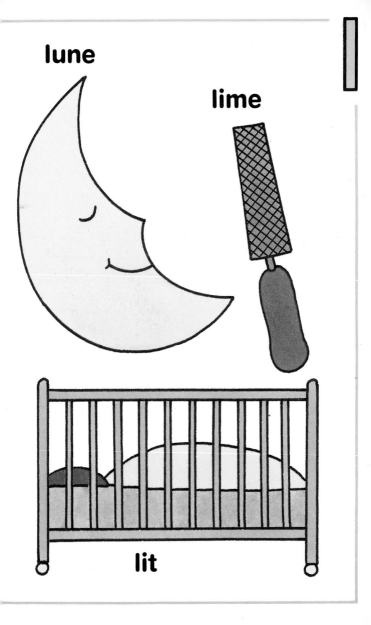

m

montre

maison

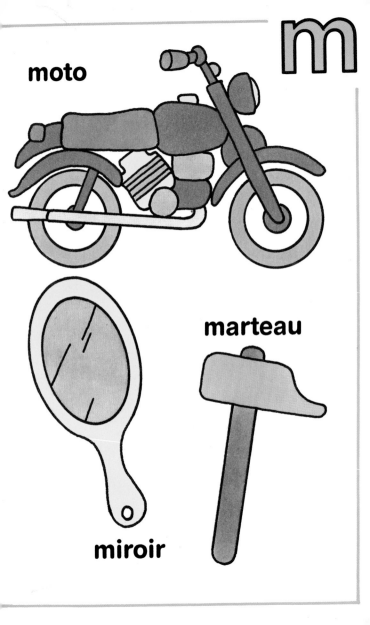

m

moto

miroir

marteau

n

niche

neuf

nuages

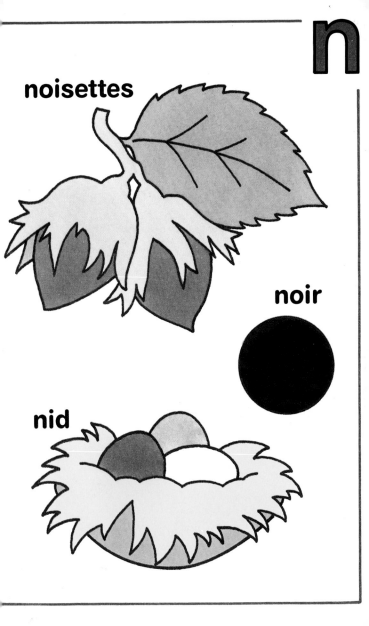

n

noisettes

noir

nid

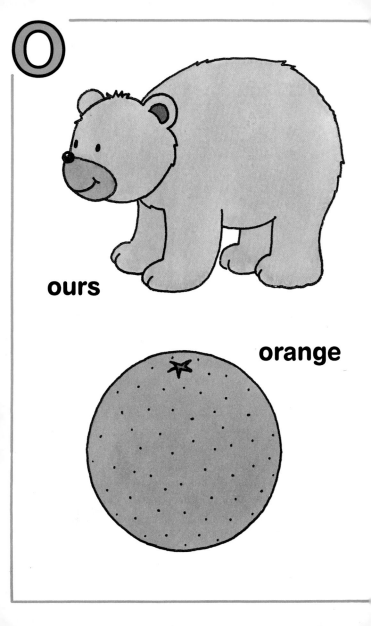

O

ours

orange

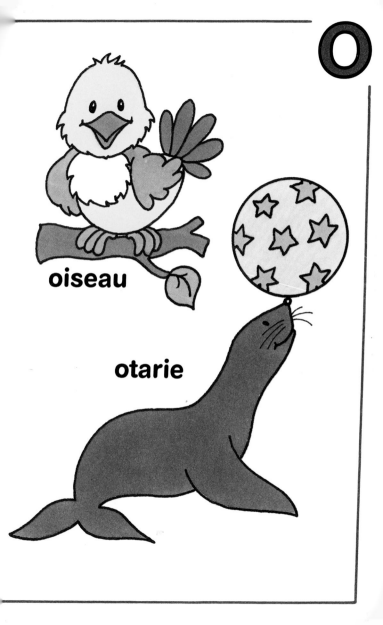

O

oiseau

otarie

p

pingouin

poule

poussin

p

pinceau

poisson

panda

p

papillon

parapluie

p

poire

peigne

perroquet

p

poupée

pomme

q

4 quatre

quille

r

raisins

roue

rateau

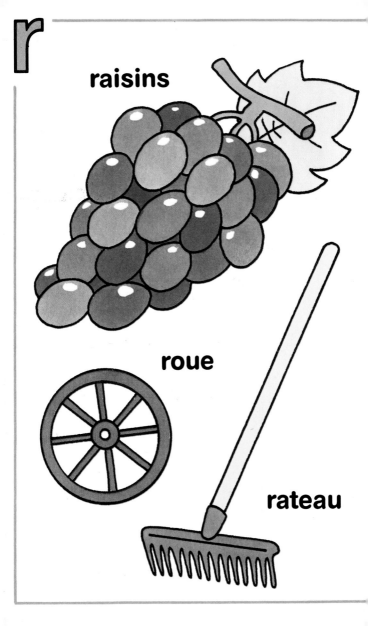

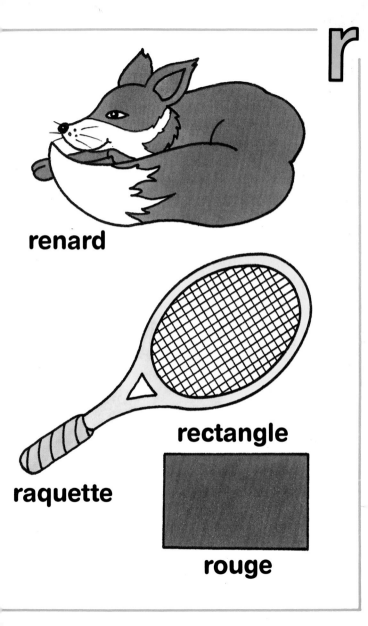

r

renard

raquette

rectangle

rouge

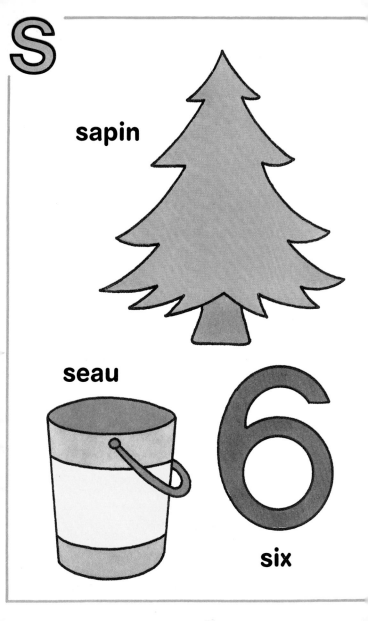

S

sapin

seau

six

S

soleil

souris

t

téléphone

tortue

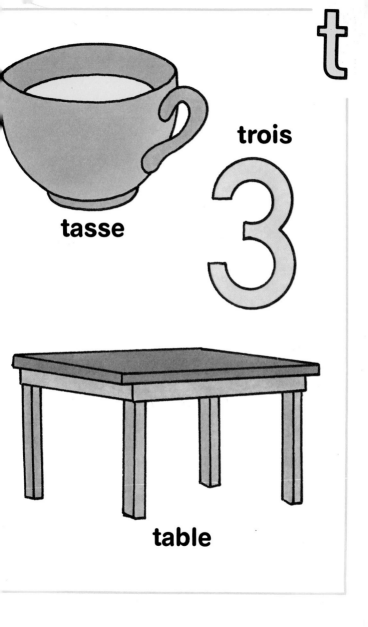

t

tasse

trois
3

table

u

un 1

usine

V

vache

valise

V

voiture

verre

vis

wigwams

W

wagon

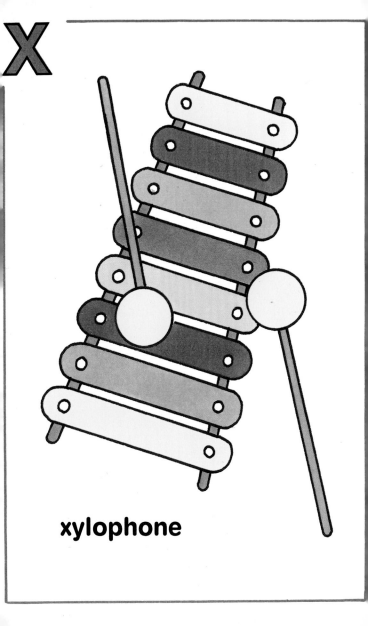

X

xylophone

y

yacht

yoyo

yaourt

Z

zéro

zèbre

ISBN: 2-8006-1339-4
© Editions HEMMA
N° d'impression : 5859104

Dépôt légal : 5.90/0058/136
Imprimé en Italie